THE STORY OF EASTER

COLOR BY NUMBER ACTIVITY BOOK FOR KIDS

Coloring Book for Kids

AGES 4-8

Table of Contents

Pg.7 - Story of Easter Coloring Pages

-Grab your favorite markers, colored pencils, or crayons and get to coloring. Let your imagination bring the Story of Easter to life!

Pg.45 - Dot-to-Dot

-Connect the dots numerically, start at 1 until you complete the picture.

Pg.55 - Mazes

-Help Jesus by creating a pathway to get from the top to the bottom. Be careful and don't run into a wall!

Pg.59 - Spot the Difference

-Observe the first picture, then look at the second picture and see if you can find the differences!

Pg.67 - Word Searches

-Biblically inspired - challenge yourself with word searches. Look at the keywords at the bottom and try to find them in the jumbled letters above!

Pg.78 - Word Searches Answer Key

COLOR CHART

1 – Green	5 – Skin Tone
2 – Blue	6 – Brown
3 – Tan	7 – Yellow
4 – Red	8 – Gray

COLOR CHART

1 - Tan	5 - Black	9 - Red
2 - Blue	6 - Brown	10 - Purple
3 - Skin Tone	7 - Yellow	
4 - Green	8 - Gray	

COLOR CHART

1 - Gray
2 - Blue
3 - Tan
4 - Green
5 - Red
6 - Brown
7 - Skin Tone
8 - White

11

COLOR CHART

1 – Green	5 – Gray	9 – Yellow
2 – Skin Tone	6 – Brown	10 – Orange
3 – Tan	7 – Blue	
4 – Red	8 – Black	

13

COLOR CHART

1 - Brown	5 - Gray	9 - Skin Tone
2 - Green	6 - Tan	10 - Orange
3 - Blue	7 - Yellow	
4 - Red	8 - Light Blue	

15

COLOR CHART

1 - Purple	5 - Gray	9 - Green
2 - Tan	6 - Yellow	10 - Black
3 - Blue	7 - Brown	
4 - Skin Tone	8 - Red	

COLOR CHART

1 - Green	5 - Skin Tone
2 - Gray	6 - Blue
3 - Brown	7 - Red
4 - Tan	8 - Orange

COLOR CHART

1 - Green	5 - Brown	9 - Purple
2 - Red	6 - Skin Tone	10 - Blue
3 - Gray	7 - Yellow	
4 - Tan	8 - Black	

21

COLOR CHART

1 - Tan	5 - Black	9 - Red
2 - Blue	6 - Brown	10 - Purple
3 - Skin Tone	7 - Yellow	
4 - Green	8 - Gray	

23

COLOR CHART

1 - Green   4 - Skin Tone
2 - Brown   5 - Blue
3 - Tan   6 - Red

COLOR CHART

1 - Brown	5 - Gray
2 - Green	6 - Blue
3 - Tan	7 - Skin Tone
4 - Red	8 - White

COLOR CHART

1 – Green 5 – Gray
2 – Skin Tone 6 – Brown
3 – Yellow 7 – Red
4 – Tan 8 – Blue

COLOR CHART

1 - Gray	5 - Skin Tone
2 - Brown	6 - Yellow
3 - Green	7 - Blue
4 - Tan	8 - Red

COLOR CHART

1 - Brown
2 - Green
3 - Gray

4 - Skin Tone
5 - Tan
6 - Blue

COLOR CHART

1 - Tan
2 - Skin Tone
3 - Red
4 - Green
5 - Yellow
6 - Brown
7 - Blue
8 - Black

COLOR CHART

1 - Green
2 - Skin Tone
3 - Brown
4 - Tan

5 - White
6 - Yellow
7 - Blue
8 - Purple

37

COLOR CHART

1 – Green	5 – Blue
2 – Gray	6 – Red
3 – Brown	7 – Yellow
4 – Tan	8 – Skin Tone

COLOR CHART

1 - White	5 - Skin Tone
2 - Blue	6 - Tan
3 - Yellow	7 - Red
4 - Orange	8 - Brown

41

COLOR CHART

1 - Green   5 - Brown
2 - Red   6 - Skin Tone
3 - Gray   7 - Yellow
4 - Tan   8 - Blue

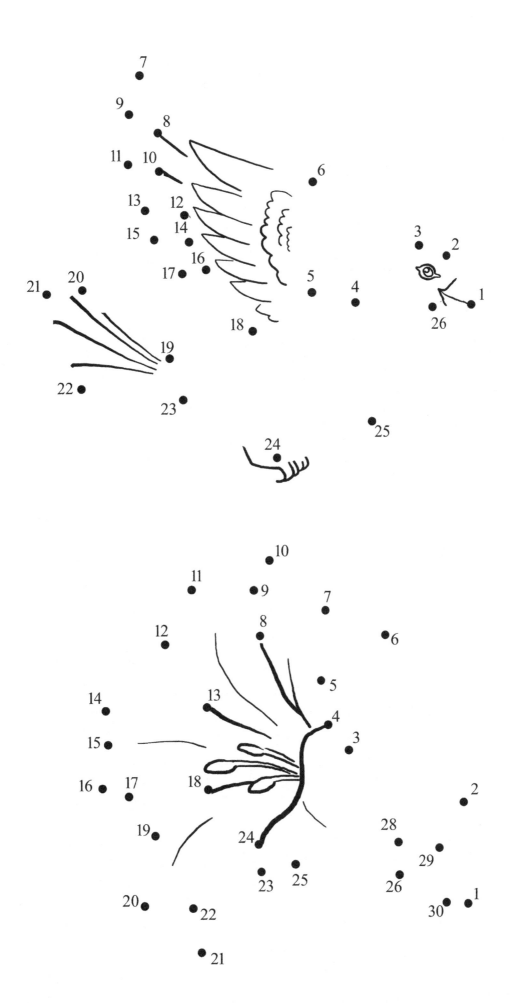

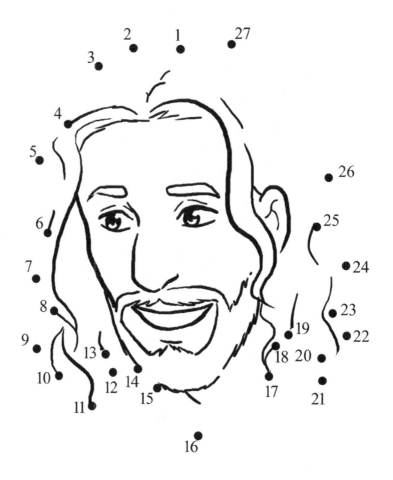

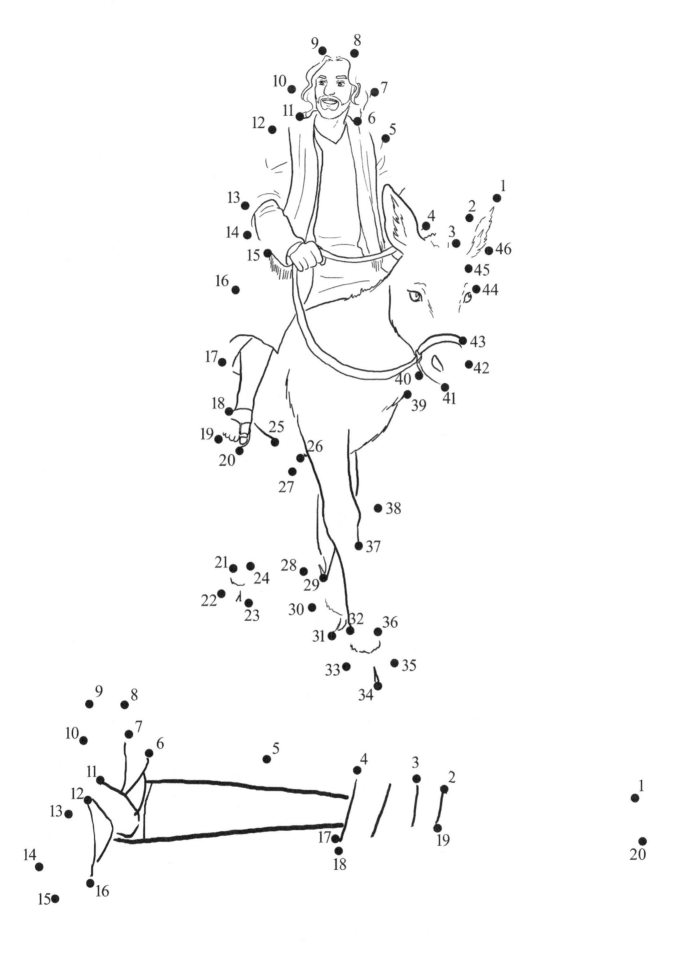

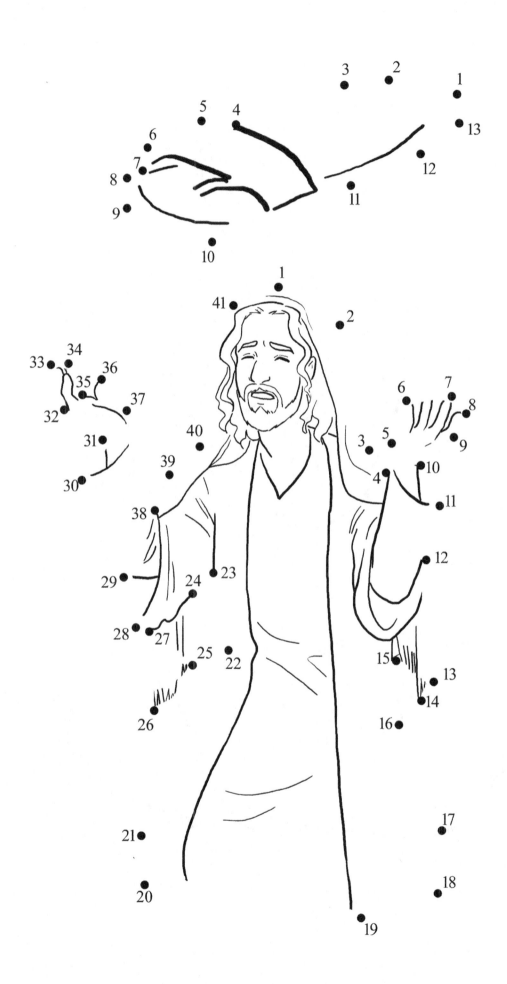

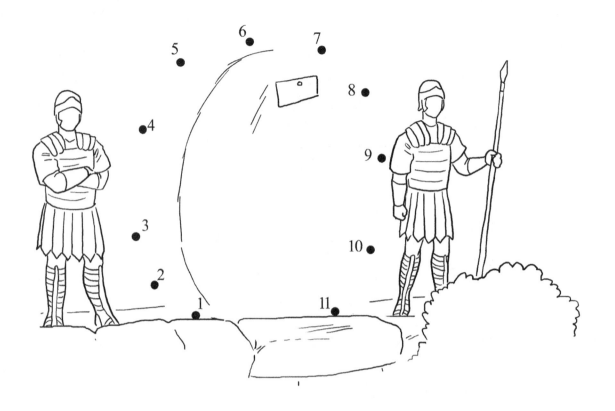

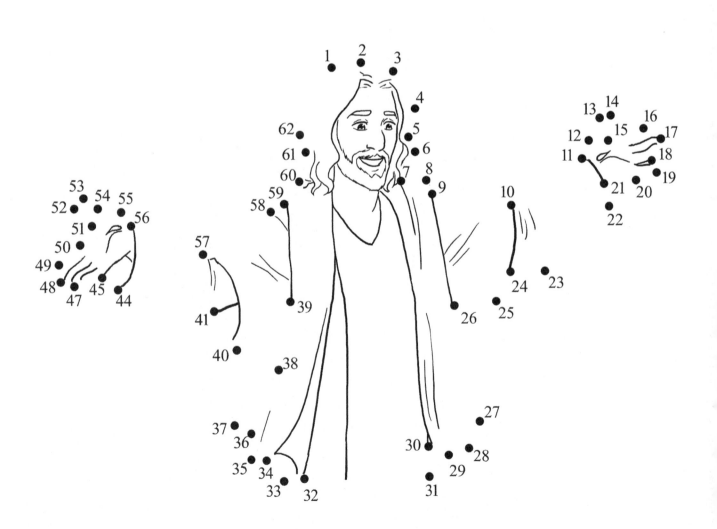

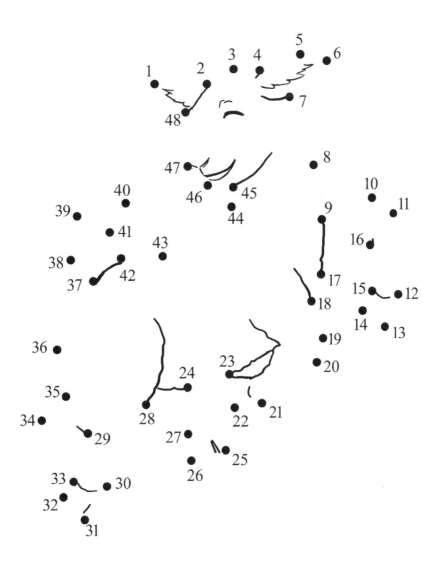

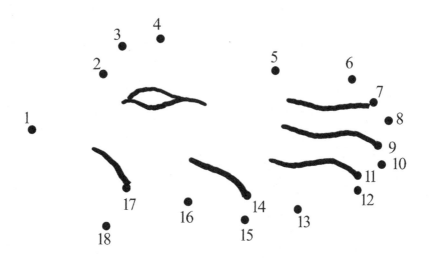

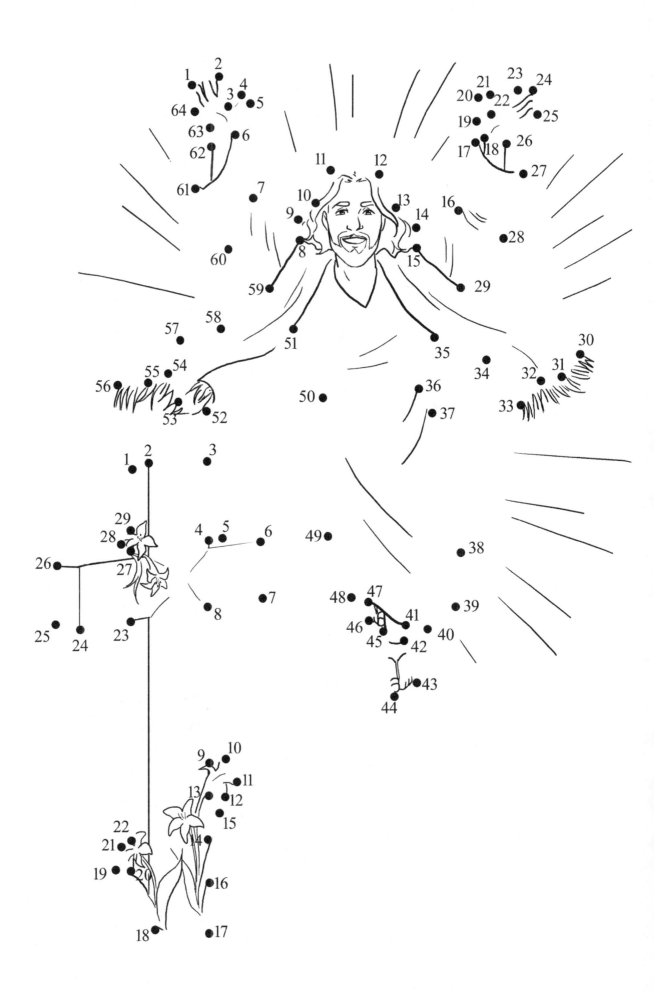

Get the lamb to Jesus

Get the fish and loaves to the basket

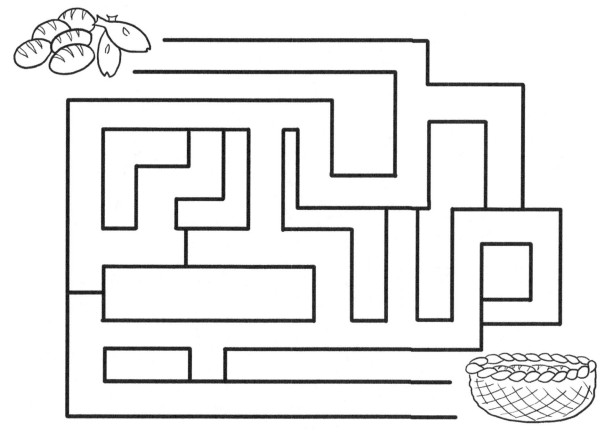

Get the boat out of the storm

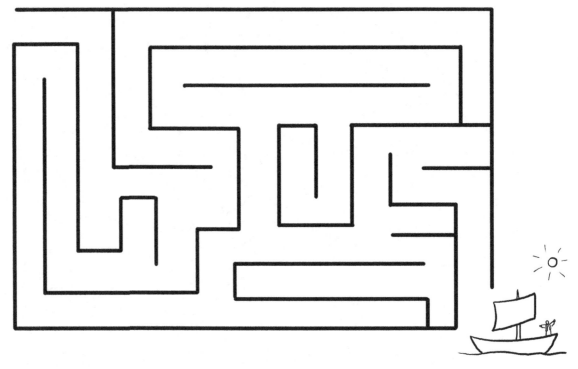

Get the sick man to Jesus

Get Jesus to the Cross

Get Jesus out of the tomb

Spot 6 Differences!

1. Jesus' smile 2. Boy's eyes 3. Extra bread roll 4. Fish spines 5. Water waves 6. Jesus' hair

Spot 6 Differences!

1. Bird wings 2. Girl's face 3. Peter's turban 4. Jesus' scarf 5. Door is open 6. Mom is happy

Spot 8 Differences!

1. Windows in wall 2. Palm Tree 3. Scene through doorway 4. Jesus' prayer shawl 5. Jesus' sandal 6. Baby's hair 7. Palm Branch in man's hand 8. Woman's face

Spot 8 Differences!

1. Trees behind the wall 2. Pattern on pillars 3. Man in water 4. Blind Man's face 5. Crippled man 6. Potted Plant 7. Andrew's hand 8. Andrew's mouth

Spot 10 Differences!

1. Distant palm trees 2. Extra bush 3. Veins on plant 4. Horn on lamb 5. Bird on shoulder 6. Bunny's ears 7. Flying bird 8. Lizard on leaf 9. Fruit on Tree 10. Donkey's eyes

Spot 10 Differences!

1. Lizard on wall 2. Trees out window 3. Judas' scarf 4. Man's headscarf 5. Extra egg 6. Jesus' cup 7. Napkin pattern 8. Man's turban 9. Bald man's hair 10. Mouse hole

64

Spot 12 Differences!

1. Clouds 2. Sun 3. Snow on mountains 4. Pharisee's headdress 5. John's robe 6. Centurion's headpiece 6. Rock pile 7. Grass 8. Trees 9. Mary's scarf 10. Birds 11. Turban 12. Centurion's pants

Spot 12 Differences!

1. Birds 2. Jesus' sandals 3. Extra light rays 4. Palm tree 5. Flowers on bush 7. Clouds 6. Bunny 8. Fern 9. Hat pattern 10. Peter's sash 11. Centurion's shirt 12. Camel Bridle

Easter Candy

```
J E L L Y B E A N C
F X B N K W L D Y H
S N U Z E G G S U O
K P N G K R T A M C
I E N N G C Y H M O
T E Y N B Q M N Y L
T P F R E E S E S A
L S P G C A N D Y T
E S D L S O S P G E
S O U K G L H X V K
```

Bunny   Candy   Chocolate

Eggs   Jellybean   Peeps

Reeses   Skittles   Yummy

Garden Flowers

J S M A G N O L I A
X Y B X W J E S U U
O R C H I D G T G J
P G A R D E N I A A
O U F P W Q T I Q S
P D A L I L Y R D M
P L I L A C B I N I
Y O T T D R O S E N
T U L I P Y O E E E
C Q C Z R O L S R G

Gardenia	Irises	Jasmine
Lilac	Lily	Magnolia
Orchid	Poppy	Rose
Tulip		

Holiday Festivities

```
F  R  K  F  C  W  U  P  F  V
O  I  L  A  H  L  E  N  T  F
O  S  C  M  U  B  P  P  G  P
D  E  U  I  R  V  S  M  X  R
C  N  X  L  C  L  U  A  F  A
R  B  W  Y  H  F  N  A  I  Y
J  R  M  C  Z  K  D  D  Y  E
C  E  L  E  B  R  A  T  E  R
Q  F  A  I  T  H  Y  D  K  Z
T  R  A  D  I  T  I  O  N  A
```

Celebrate	Church	Faith
Family	Food	Lent
Prayer	Risen	Sunday
Tradition		

Last Supper

```
X Y Q F B B G B A W
C X W P R B C P R F
N P A Y E K L R O O
U W T G A M X Y M R
T I E W D L R G U K
S N R J N A P K I N
G E R F D A T E S A
J Z L E N T I L S D
F R U I T V I I A M
V E G E T A B L E S
```

Bread   Dates   Fork

Fruit   Lentils   Napkin

Nuts   Vegetables   Water

Wine

Jesus Christ

```
A X V F C X S I N S
P F Z M R N J I W S
T S C A U M M T X T
H J R R C A N G E L
O N O Y I C Y W S P
R A M M F U K C R Z
N I A M I R A C L E
S L N G E L D O V E
N S S F D O C A J C
C R O W N P D E Z H
```

Angel	Crown	Crucified
Dove	Mary	Miracle
Nails	Romans	Sins
Thorns		

Easter Vocabulary

```
E E X W C Q P C R U C I F I X G Y
H R A U H F M Q U C H T M O H O K
C D M W U E M L G C O J K J G O E
V W K U F N V I W I L I U D V D V
R A I X C X T J J T Y Q C O X F X
V G F I H X U E R I W G Y X D R V
Z L P O R L U S V A E H B I H I E
F R P E I S A U T K E R Q C Z D R
P O B W S A G S H R K M Q U X A D
T L S W T C Y C E G B D C Q Z Y M
O V Z O I R L H P M O C H N T U F
M P E G A I M R A A Z H E C L O E
B A X Q N F X I S S N T M W A W X
D V J F I I M S S S D M N C M D G
D M Q B T C V T I O T C E Y B M Y
H U A A Y E A F O O L E N T U A H
V T J D A Q W V N G O F T K E M F
```

Christianity	Crucifix	Good Friday
Holy Week	Jesus Christ	Lamb
Lent	Mass	Sacrifice
The Passion	Tomb	

Scriptures

```
D M T S M X G J Y T C S E U C Y E
O A U C C I I G I P Q Q J R N R Y
E T P W O P E E S A Q T X R J B I
D T H K R H W S A L Y M X X O S F
N H X L I I I O I P J C H T H J O
N E P K N A M F A Z R K P I N J P
U W S O T L C C H Q N V T M S H K
K K A G H O T Y W J H H V O X A K
T D L U I L A H K E T B Q T R D D
T D M W A U T P H R I P G H O D W
N S D L N K B C T E S E K Y M C B
A W O V S E U L C M W T M C A V W
Z R E P B S B I U I X E A O N O M
W F B T G N P Y I A E R R D S K S
K I X G C N F I R H F P K J S F G
B P F L B T F E U C N K D I R M Q
A J K P R O V E R B S F G F H U J
```

Corinthians	Isaiah	Jeremiah
John	Luke	Mark
Matthew	Peter	Proverbs
Psalm	Romans	Timothy

Sermon on the Mount

```
N L H D M D Y Y W L Z C M U A W K
Y I M P E A C E M A K E R S I J S
D J X B R H J I E R Q F T A R C W
N V N L R I G H T E O U S N E S S
P U R E I N H E A R T C C Y F I P
N T D S R E L A T I O N S H I P E
P Z L S U I O W M L W K W P S C A
C C M E R C I F U L P Q Q E W Z K
M D J D G U E E P R C N E R V Y I
N V D Q J N V R P V O V R S Y U N
R I F A V V P G F E E E V E L M G
G Q I J F P F V A G N Y N C Y O T
J R N D G V U J P L E X J U G U R
D P M A R R I A G E M P W T F R U
Z Y T V A E J T D Y I D W I V N T
J T Z E A Q D G T Y E A E O K F H
O H M W P V V W C L S Q A N T X J
```

Blessed	Enemies	Marriage
Merciful	Mourn	Peacemakers
Persecution	Pure In Heart	Relationship
Righteousness	Speaking Truth	

Apostles

```
H Q J A M E S C N D T F J I F U V
T E Q M N L W M O O E J H R I W P
S K S P E W Z G U T I Q B W B O A
I N U L P Y Z T G T J I K A I T Y
M P H I L I P V S B O D S N J H D
O M G P T T H C A A H D S D U O Q
N A R S L T Q X B F N B M R D M T
A T O X M S X T A J K S N E A A Q
Y T M B I C V B R S E A F W S S A
W H G W D S Z M T H A D D E U S A
T E V W S R W A H O F V K C M F C
X W I P E R J T O Z J X X O Z S V
U C N I L C A T L H P H E I C U G
K X V M A K Y H O Z K H D W O Z B
O J L R Q N S I M L M S P O Z J H
P L P Z D Q W A E A U G Y S B W V
V J K Y Y J W S W M J Q K N S Q R
```

Andrew	Bartholomew	James
John	Judas	Matthew
Matthias	Philip	Simon
Thaddeus	Thomas	

Easter Day

```
C O X D A W F J V D S I K U L R U
Q S U I S T R D L G U U W F Y K F
I I V S C Z T G Q C E N B I B L E
J J B F E Z A D D W C C H U R C H
X E E W N W Y Q K H G K E W P B V
C R P V S T V L L P I A K O K C C
J U N R I L C T W Q V V F B Q A B
P S M V O P R E Q O B H Z W J B W
D A A T N A O D I S C I P L E S D
Q L U F E A S N A I R M L R S R M
J E A P B Y S G X B V Z C I U P E
Y M J W Z Q J T M O C O X S S O S
B D L A S T S U P P E R Z P P C S
M F O V F W Q K Q L M D Q R L K I
U Z V T N O U Z O D W M H I Y T A
B N H T F Z S R R N I H P N C Z H
R E S U R R E C T I O N A G O W B
```

Ascension   Bible   Church

Cross   Disciples   Jerusalem

Jesus   Last Supper   Messiah

Resurrection   Spring

76

Easter Candy

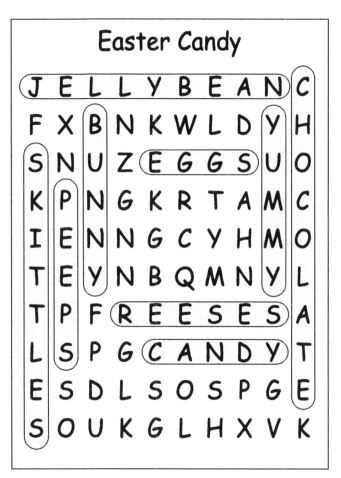

```
J E L L Y B E A N C
F X B N K W L D Y H
S N U Z E G G S U O
K P N G K R T A M C
I E N N C Y H M M O
T E Y N B Q M N Y L
T P F R E E S E S A
L S P G C A N D Y T
E S D L S O S P G E
S O U K G L H X V K
```

Garden Flowers

```
J S M A G N O L I A
X Y B X W J E S U U
O R C H I D G T G J
P G A R D E N I A A
O U F P W Q T I Q S
P D A L I L Y R D M
P L I L A C B I N I
Y O T T D R O S E N
T U L I P Y O E E E
C Q C Z R O L S R G
```

Holiday Festivities

```
F R K F C W U P F V
O I L A H L E N T F
O S C M U B P P G P
D E U I R V S M X R
C N X L C L U A F A
R B W Y H F N A I Y
J R M C Z K D D Y E
C E L E B R A T E R
Q F A I T H Y D K Z
T R A D I T I O N A
```

Last Supper

```
X Y Q F B B G B A W
C X W P R B C P R F
N P A Y E K L R O O
U W T G A M X Y M R
T I E W D L R G U K
S N R J N A P K I N
G E R F D A T E S A
J Z L E N T I L S D
F R U I T V I I A M
V E G E T A B L E S
```

Jesus Christ

```
A X V F C X S I N S
P F Z M R N J I W S
T S C A U M M T X T
H J R R C A N G E L
O N O Y I C Y W S P
R A M M F U K C R Z
N I A M I R A C L E
S L N G E L D O V E
N S S F D O C A J C
C R O W N P D E Z H
```

Easter Vocabulary

```
E E X W C Q P C R U C I F I X G Y
H R A U H F M Q U C H T M O H O K
C D M W U E M L G C O J K J G O E
V W K U F N V I W I L I U D V D V
R A I X C X T J J T Y Q C O X F X
V G F I H X U E R I W G Y X D R V
Z L P O R L U S V A E H B I H I E
F R P E I S A U T K E R Q C Z D R
P O B W S A G S H R K M Q U X A D
T L S W T C Y C E G B D C Q Z Y M
O V Z O I R L H P M O C H N T U F
M P E G A I M R A A Z H E C L O E
B A X Q N F X I S S N T M W A W X
D V J F I I M S S S D M N C M D G
D M Q B T C V T I O T C E Y B M Y
H U A A Y E A F O O L E N T U A H
V T J D A Q W V N G O F T K E M F
```

Scriptures

```
D M T S M X G J Y T C S E U C Y E
O A U C C I I G I P Q Q J R N R Y
E T P W O P E E S A Q T X R J B I
D T H K R H W S A L Y M X X O S F
N H X L I I I O I P J C H T H J O
N E P K N A M F A Z R K P I N J P
U W S O T L C C H Q N V T M S H K
K K A G H O T Y W J H H V O X A K
T D L U I L A H K E T B Q T R D D
T D M W A U T P H R I P G H O D W
N S D L N K B C T E S E K Y M C B
A W O V S E U L C M W T M C A V W
Z R E P B S B I U I X E A O N O M
W F B T G N P Y I A E R R D S K S
K I X G C N F I R H F P K J S F G
B P F L B T F E U C N K D I R M Q
A J K P R O V E R B S F G F H U J
```

Sermon on the Mount

```
N L H D M D Y Y W L Z C M U A W K
Y I M P E A C E M A K E R S I J S
D J X B R H J I E R Q F T A R C W
N V N L R I G H T E O U S N E S S
P U R E I N H E A R T C C Y F I P
N T D S R E L A T I O N S H I P E
P Z L S U I O W M L W K W P S C A
C C M E R C I F U L P Q Q E W Z K
M D J D G U E E P R C N E R V Y I
N V D Q J N V R P V O V R S Y U N
R I F A V V P G F E E V E L M G
G Q I J F P F V A G N Y N C Y O T
J R N D G V U J P L E X J U G U R
D P M A R R I A G E M P W T F R U
Z Y T V A E J T D Y I D W I V N T
J T Z E A Q D G T Y E A E O K F H
O H M W P V V W C L S Q A N T X J
```

Apostles

```
H Q J A M E S C N D T F J I F U V
T E Q M N L W M O O E J H R I W P
S K S P E W Z G U T I Q B W B O A
I N U L P Y Z T G T J I K A I T Y
M P H I L I P V S B O D S N J H D
O M G P T T H C A A H D S D U O Q
N A R S L T Q X B F N B M R D M T
A T O X M S X T A J K S N E A A Q
Y T M B I C V B R S E A F W S S A
W H G W D S Z M T H A D D E U S A
T E V W S R W A H O F V K C M F C
X W I P E R J T O Z J X X O Z S V
U C N I L C A T L H P H E I C U G
K X V M A K Y H O Z K H D W O Z B
O J L R Q N S I M L M S P O Z J H
P L P Z D Q W A E A U G Y S B W V
V J K Y Y J W S W M J Q K N S Q R
```

Easter Day

```
C O X D A W F J V D S I K U L R U
Q S U I S T R D L G U U W F Y K F
I I V S C Z T G Q C E N B I B L E
J J B F E Z A D D W C C H U R C H
X E E W N W Y Q K H G K E W P B V
C R P V S T V L L P I A K O K C C
J U N R I L C T W Q V V F B Q A B
P S M V O P R E Q O B H Z W J B W
D A A T N A O D I S C I P L E S D
Q L U F E A S N A I R M L R S R M
J E A P B Y S G X B V Z C I U P E
Y M J W Z Q J T M O C O X S S O S
B D L A S T S U P P E R Z P P C S
M F O V F W Q K Q L M D Q R L K I
U Z V T N O U Z O D W M H I Y T A
B N H T F Z S R R N I H P N C Z H
R E S U R R E C T I O N A G O W B
```

Made in the USA
Coppell, TX
11 March 2021